ČESKÁ REPUBLIKA

TSCHECHISCHE REPUBLIK
CZECH REPUBLIC
LA RÉPUBLIQUE TCHÈQUE
LA REPUBBLICA CECA
ЧЕШСКАЯ РЕСПУБЛИКА

ČESKÁ REPUBLIKA

TSCHECHISCHE REPUBLIK
CZECH REPUBLIC
LA RÉPUBLIQUE TCHÈQUE
LA REPUBBLICA CECA
ЧЕШСКАЯ РЕСПУБЛИКА

NAKLADATELSTVÍ OLYMPIA
PRAHA 2002

- Klatovsko
- Klatovy – Region
- The Klatovy Region
- La région de Klatovy
- La regione di Klatovy
- Регион г. Клатовы

《《《《

- Praha při pohledu z Petřína
- Pragansicht vom Berg Petřín
- View of Prague from Petřín Hill
- Prague, vue prise de la colline de Petřín
- Praga vista dal colle Petřín
- Вид Праги с горы Петршин

《《《

- Krkonoše s nejvyšší horou České republiky, Sněžkou
- Riesengebirge mit dem höchsten Berg der Tschechischen Republik, der Schneekoppe (Sněžka)
- Krkonoše (the Giant Mountains) with the highest mountain in the Czech Republic, Sněžka
- Krkonoše (Monts des Géants) avec Sněžka, la plus haute montagne de la République tchèque
- Monti dei Krkonoše e Sněžka, la cima più alta della Repubblica Ceca
- Крконоше и высшая гора Чехии, Снежка

《《

- Paštiky u Blatné
- Paštiky bei Blatná
- Paštiky near Blatná
- Paštiky près de Blatná
- Paštiky presso Blatná
- Паштики под Блатной

- Zámek v Miloticích
- Schloss Milotice
- Castle in Milotice
- Le château de Milotice
- Castello di Milotice
- Замок Милотице

《

》

- Pohled přes Karlův most na Pražský hrad
- Ansicht der Prager Burg über die Karlsbrücke
- View of the Prague Castle over Charles Bridge
- Vue sur le pont Charles et le château de Prague.
- Il Castello di Praga visto attraverso il Ponte Carlo
- Вид Пражского града через Карлов мост

〉

- Trojský zámek v Praze
- Schloss Troja in Prag
- Troja Château in Prague
- Le château de Troja à Prague
- Castello di Troja a Praga
- Тройский замок в Праге

ISBN 80-7033-733-8

Ach Čechy krásné, Čechy mé!
Obraze rámu prastarého,
kolikrát vytrhli tě z něho,
že odprýskaly barvy tvé
až po tmu hrobů. A v den slavný
znovu pro zraky žárlivé
napjal tě rámař starodávný

Ach Čechy krásné, Čechy mé!

František Hrubín, *úryvek z „Jobovy noci"*

■ Česká republika zaujímá území historických zemí Čech, Moravy a části Slezska. Je oblastí prastarého osídlení již od doby kamenné. Z dávných etnik zakotvili v paměti především Keltové a z nich kmen Bójů dal zemi jméno Boiohaemum, čili Böhmen nebo Bohemia. Od 6. století přicházely slovanské kmeny a vytvořily zde první státní útvar, Velkomoravskou říši. Po jejím rozpadu se mocensky prosadili Čechové a ti pod vládou knížat z rodu Přemyslovců založili souvislou vývojovou linii českého státu, trvající dodnes.

Exponovaná poloha v srdci Evropy učinila z českých zemí přirozenou křižovatku mocenských vlivů i kulturních proudů, z nichž postupně krystalizoval autonomní český živel, který nejen přijímal podněty evropského vývoje, ale nejednou jej aktivně ovlivňoval a usměrňoval. Během své existence dokázali Češi mnohokrát svůj tvůrčí potenciál v politice, vědě a především v umění. České dějiny znají svůj zlatý věk, jímž byla vláda lucemburské dynastie a zejména jejího nejslavnějšího panovníka, krále českého a císaře římského Karla IV. (1346–1378), zvaného Otec vlasti. Mají svůj duchovní vrchol v učení a působení reformního kazatele Jana Husa (1372–1415); jím zrozená husitská revoluce otřásala střední Evropou 15. století a otevřela cestu evropské náboženské reformaci. Ovšem nejúrodnějším oborem, jímž se Češi zapsali do historické paměti nejvýrazněji, je umění. V něm se nejnápadněji projevilo specifické nadání Čechů, jež zrálo v kosmopolitní atmosféře, jaká v českém prostoru panovala od jeho počátků, aby od okamžiku dosažení hospodářské zralosti země vydalo bezpočet plodů ve výtvarném umění, hudbě i literatuře.

Fondem kulturních památek se Česká republika řadí k nejbohatším státům. Jejich defilé začíná od raně středověkých památek Velkomoravské říše, pokračuje románskou a raně gotickou etapou, kdy vzniká většina historických měst, dosahuje vrcholu v umění pozdní gotiky 14. a počátku 15. století a ještě jednou zazní v úchvatných pracích tzv. jagellonské gotiky. Po období třicetileté války přichází epocha z nejslavnějších, epocha baroka. V baroku se Češi tak říkajíc našli, baroko rozezvučelo jejich umělecké schopnosti do nejbarvitějších tónů. Bez nadsázky lze říci, že se baroko stalo celonárodním slohem, který se neomezil jen na prostředí paláců a chrámů, ale pronikl do všech měst a vesnic. Po Čechách, Moravě i Slezsku najdeme i vynikající ukázky novějších slohů, ať už jde o empír, historizující slohy, kubismus i některé stavby současné architektury.

Každý region má svoje specifika, každý má co nabídnout vnímavému návštěvníkovi. Architektonické skvosty i přírodní scenérie, lidové stavby i sochařská díla zasazená v krajině, jako by do ní patřila od věků. To vše tvoří půvabný celek hodný našeho zájmu i ochrany.

■ Die Tschechische Republik liegt auf dem Gebiet der historischen Länder Böhmen, Mähren und eines Teils von Schlesien. Das Gebiet war schon in der Steinzeit besiedelt. Von den altertümlichen Völkern blieben vor allem die Kelten im Gedächtnis und der keltische Stamm der Boien gab dem Land auch seinen Namen: Boiohaemum, also Bohemia oder Böhmen. Seit dem 6. Jahrhundert kamen die slawischen Stämme, die hier den ersten Staat bildeten, das Großmährische Reich. Nach seinem Zerfall setzten sich die Tschechen durch und gründeten unter der Herrschaft der Fürsten aus dem Geschecht der Přemysliden eine ununterbrochene Entwicklungslinie des tschechischen Staats, die bis heute dauert.

Die bedeutsame Lage im Herzen von Europa machte die böhmischen Länder zu einem natürlichen Kreuzungspunkt der kulturellen und machtpolitischen Einflüsse, aus denen allmählich das selbstständige tschechische Element kristallierte, das nicht nur die Anregungen der europäischen Entwicklung empfing, sondern auch oft aktiv und richtungsgebend darauf wirkte. Mehrmals bewiesen die Tschechen ihre schöpferische Kraft in der Politik, Wissenschaft und vor allem in der Kunst. Die tschechische Geschichte kennt auch ihr goldenes Zeitalter, die Regierungszeit der luxemburgischen Dynastie und ihres berühmtesten Herrschers, des böhmischen Königs und römischen Kaisers Karl IV. (1346–1378), der Vater des Vaterlandes genannt wird. Diese Epoche erreichte ihren geistigen Gipfel in der Lehre und Wirkung des Predigers und Reformators Johannes Hus (1372–1415); die durch ihn entstandene hussitische Revolution erschütterte im 15. Jahrhundert ganz Mitteleuropa und bereitete den Weg für die europäische Reformation. Die fruchtbarste Tätigkeit, mit der sich die Tschechen in das historische Gedächtnis am deutlichsten eingeschrieben haben, war aber die Kunst. Hier zeigte sich die besondere Begabung der Tschechen, die in einer für die tschechischen Länder seit eh und je charakteristischen multikulturellen Atmosphäre reifte. Nachdem das Land die wirtschaftliche Reife erreicht hatte, haben die kulturellen Bemühungen in den bildenden Künsten, in der Musik und Literatur reiche Früchte getragen. An den Kulturdenkmälern gemessen reiht sich die Tschechische Republik unter die reichsten Staaten. Ihr Defilee fängt im frühen Mittelalter mit den Denkmälern des Großmährischen Reichs an, setzt mit der romanischen und frühgotischen Zeit fort, wo die meisten historischen Städte entstehen, gipfelt in der spätgotischen Kunst des 14. und beginnenden 15. Jahrhunderts und kommt noch einmal in den bewältigenden Werken der sog. jagellonischen Gotik zum Ausdruck. Nach dem Dreißigjährigen Krieg kommt die berühmteste Epoche, das Barockzeitalter. Im Barock haben sich die Tschechen sozusagen gefunden, das Barock ließ ihre künstlerischen Fähigkeiten in allen Farben ertönen. Ohne Übertreibung kann man sagen, dass das Barock zu einem nationalen Stil geworden war, der sich nicht auf die Paläste und Kirchen beschränkte, sondern in alle Städte und Dörfer gelangte. In Böhmen, Mähren und Schlesien finden wir auch hervorragende Baudenkmäler neuerer Stilrichtungen – Empire, Historismus, Kubismus sowie manche Bauwerke der modernen Architektur.

Jede Region hat ihre Besonderheiten, jede hat einem empfäglichen Besucher Vieles anzubieten – architektonische und landschaftliche Schönheiten, in der Landschaft derartig eingesetzte Volksarchitektur und Bildhauerwerke, als hätten sie seit Ewigkeit hineingehört. Das Ganze bildet eine wunderschöne Einheit, die zum Objekt unseres Interesses und unserer Unterstützung werden soll.

■ The Czech Republic covers the historic territory of Bohemia, Moravia and a part of Silesia. It has been an area of ancient settlement since the Stone Age. Regarding the prehistoric ethnic groups, it is mainly the Celts who are remembered – the tribe of Boii provided this country with its name Boiohaemum, in other words Böhmen or Bohemia. From the 6th century Slavonic tribes came and formed the first state structure here, the Great Moravian Empire. After its disintegration, the Czechs seized power and, under the rule of princes from the Premyslid dynasty, established a continuous progression of the Czech state that has endured to the present time.

The exposed position in the heart of Europe made the Czech lands a natural crossroads of power politics and cultural trends, from which the autonomous Czech element gradually crystallised; this element not only absorbed the impulses of European development, but also, at many a time, influenced and directed it actively. Throughout the country's existence the Czechs have demonstrated repeatedly their potential in politics, science, and especially in the arts. Czech history is very aware of its Golden Age: this was the rule of the Luxembourg dynasty and, particularly, its most prominent ruler, the Czech King and Roman Emperor, Charles IV (1346–1378), called the Father of his Country. The intellectual peak culminated with the teachings and work of the Reform preacher Jan Hus (1372–1415); the Hussite Revolution, to which he provided the impetus, shook the whole of Central Europe in the 15th century and paved the way for the European religious reformation. Nonetheless, the area bearing most fruits, that which the Czechs have most engraved in their historic memory, is that of the arts. Art reflected the specific talent of the Czechs in the most striking way. This talent matured in the cosmopolitan atmosphere that had prevailed in the Czech environment since its earliest days, providing a great many achievements in the visual arts, music, as well as literature once the country reached its economic maturity. The Czech Republic ranks amongst the richest countries with regard to its cultural heritage. Its enumeration begins with the monuments of the Great Moravian Empire in the early Middle Ages, followed by the Romanesque and early Gothic period, when most of the historic towns were founded, and reaches its peak in the late Gothic art of the 14th and early 15th century which later reverberated again in the breathtaking works of the so-called Jagellon Gothics. Following the Thirty Years War the greatest epoch of our times began, the period of the Baroque style. We can say that the Czechs discovered themselves in the Baroque style, as it resounded with their artistic capabilities in the most colourful tones. It can be stated without any exaggeration that the Baroque style is a nationwide style that did not limit itself to the surroundings of palaces and churches but found its place in all towns and villages. We can also find excellent examples of more modern styles in Bohemia, Moravia and Silesia, whether it is the Empire style, neo-styles, Cubism or buildings representing contemporary architecture.

Each region has its specific features, each region has certain beauties to offer to an attentive visitor. The architectonic jewels and landscape scenery, the folk buildings and sculptural works that are positioned in the landscape as if they had existed there for all time. All this creates a charming entity that deserves our interest as well as protection.

■ La République tchèque s'étend sur le territoire des pays historiques de la Bohême, de la Moravie et d'une partie de la Silésie. C'est un territoire déjà peuplé aux temps les plus reculés, à l'âge de pierre. Parmi les ethniques anciennes il y a les Celtes et notamment les Celtes Boïens d'où le pays tire son nom Boiohaemum ou Böhmen ou bien encore Bohemia. A partir du VIᵉ siècle des tribus slaves s'établirent en donnant naissance à la première formation d'Etat, l'empire de Grande-Moravie. Après l'effondrement de celui-ci ce sont les Tchèques qui se firent prévaloir et ceux-ci sous le règne de leurs princes de la lignée des Premyslides commencèrent l'évolution continue de l'Etat tchèque qui dure encore de nos jours.

Grâce à leur position au cœur de l'Europe les pays tchèques devinrent un carrefour naturel des influences tant du point de vue pouvoir que culturelles d'où s'est graduellement cristallisé l'élément tchèque autonome qui non seulement recevait des impulsions de l'évolution européenne mais maintes fois aussi l'influait et l'orientait activement. Au cours des siècles les Tchèques firent maintes fois preuve de leur potentiel créateur en politique, dans la science et surtout dans les arts. L'histoire tchèque connaît son âge d'or, qui fut celui du règne de la dynastie des Luxembourg et notamment de son souverain le plus célèbre, Charles IV (1346–1378) roi de Bohême et empereur romain, appelé aussi père de la patrie. Il en est de même sur le plan spirituel où l'apogée est marquée par l'enseignement et l'activité du réformateur religieux Jan Hus (1372–1415); la révolution hussite qui en jaillit ébranla l'Europe centrale au XVᵉ siècle et ouvrit la voie à la réforme religieuse européenne. Toutefois la branche la plus féconde par laquelle les Tchèques se sont inscrits le plus nettement dans l'histoire est celle des arts. C'est dans ce domaine que le talent spécifique des Tchèques s'est manifesté le plus nettement, talent qui mûrit dans l'atmosphère cosmopolite régnant dans le milieu tchèque depuis le début même et qui, au moment où le pays atteint sa maturité économique, donne ses fruits innombrables dans les arts plastiques, la musique et aussi la littérature. Par ses monuments culturels la République tchèque se range parmi les pays les plus riches. Pour les énumérer il faut commencer par les monuments du Haut Moyen âge, continuer par l'étape romane et gothique primitif lorsque vit le jour la majorité des villes historiques, pour parvenir au summum dans l'art du gothique du XIVᵉ et du début du XVᵉ siècle et les travaux saisissants de ce que l'on nomme gothique des Jagellons. Après la Guerre de Trente ans vient l'époque la plus glorieuse, celle du baroque. Les Tchèques ont pour ainsi dire trouvé leur raison d'être dans le baroque, qui a fait vibrer leurs talents artistiques dans les tons les plus vifs. Sans exagérer on peut dire que le baroque est devenu le style national qui ne s'est pas restreint uniquement aux palais et églises mais a pénétré aussi dans toutes les villes et villages. En Bohême, en Moravie, mais aussi en Silésie on trouve d'excellents exemples des styles les plus récents, qu'il s'agisse du style Empire, des styles puisant dans l'histoire, du cubisme, et aussi de l'architecture contemporaine.

Chaque région a son caractère spécifique, chacune d'elle a quoi offrir au touriste. Des joyaux architectoniques mais aussi des paysages, des ouvrages populaires et aussi des sculptures situées dans le paysage comme si elles se trouvaient là de tous les temps. Tout cela forme un ensemble charmant digne de notre intérêt et aussi de notre protection.

■ La Repubblica Ceca occupa l'area delle terre storiche della Boemia, della Moravia e di una parte della Slesia. In questa regione si trovava un antico insediamento già all'età della pietra. Alcuni gruppi etnici sono rimasti impressi nella memoria, soprattutto i celti, e una delle stirpi celtiche, quella dei Boi, ha dato il nome al Paese, Boiohaemum, ossia Böhmen o Boemia. Dal VI sec. cominciarono a giungere le stirpi slave che costituirono la prima formazione statale, l'Impero della Grande Moravia. Dopo la sua caduta, la stirpe dei Cechi assunse il potere e, sotto il governo dei principi della dinastia dei Premislidi, fondò una linea evolutiva dello Stato Ceco, linea che esiste tuttora. La sua posizione nel cuore d'Europa ha fatto sì che le terre ceche diventassero un crocevia naturale delle influenze di potere e delle correnti culturali, dalle quali gradualmente si formò l'elemento autonomo ceco che, non solo assumeva stimoli dello sviluppo europeo, ma più di una volta lo influenzò e coordinò in un modo attivo. Durante la loro esistenza, i Cechi più volte dimostrarono il loro potenziale creativo nella politica, nella scienza e soprattutto nell'arte. La storia ceca visse la sua epoca d'oro sotto il regno della dinastia dei Lussemburgo e in particolare, sotto il suo più famoso sovrano, Carlo IV, re di Boemia e imperatore romano (1346–1378), detto padre della Patria. La storia ceca trova il suo apice nella dottrina e nell'opera del predicatore riformista Jan Hus (1372–1415); la rivoluzione ussita da lui avviata, riscosse l'Europa centrale del XV sec. e diede il via alla riforma religiosa europea. Ma il campo più fertile in cui i Cechi maggiormente si distinsero, è l'arte. Nell'arte si manifestò in modo più evidente il talento specifico dei Cechi, maturato nell'atmosfera cosmopolita che esisteva nell'ambiente ceco sin dalle sue origini, per dare, nel momento in cui aveva raggiunto la maturità economica del Paese, numerosissimi frutti nell'arte figurativa, nella musica e nella letteratura. Per la quantità di monumenti culturali, la Repubblica Ceca si annovera fra i paesi più ricchi. La loro sfilata comincia dalla Grande Moravia, prosegue con le epoche romanica e del primo gotico, nelle quali nasce la maggior parte delle città storiche, raggiunge il suo apice nell'arte del tardo gotico dei secoli XIV e XV e si presenta, ancora una volta, con tutto il suo splendore, nelle opere incantevoli del cosiddetto stile gotico jagellonico. Il periodo della Guerra dei Trent'anni fu seguito da una delle epoche più famose, quella del Barocco. Nel Barocco i Cechi, per così dire, si sono trovati; il Barocco fece risuonare, infatti, le loro capacità artistiche fino ai toni più coloriti. Si può dire, senza esagerare, che il Barocco era diventato lo stile di tutta la nazione, non limitandosi solo all'ambiente di palazzi e chiese, ma penetrando in tutte le città e in tutti i villaggi. In Boemia, in Moravia e in Slesia troviamo anche esempi eccezionali di stili più recenti, quali stile impero, stili storicizzanti, stile cubista e alcuni esempi dell'architettura moderna.

Ogni regione ha la sua specificità e ha qualcosa da offrire ad un sensibile visitatore. I gioielli architettonici e i panorami paesag-gistici, l'architettura popolare e le opere scultoree „piantate" nel paesaggio, sembrano farne parte integrante sin dai tempi remoti. Tutto ciò crea un complesso affascinante degno del nostro interesse e della tutela.

■ Чешская республика занимает территорию исторических земель Чехии, Моравии и части Силезии и является регионом с древнейшим населением, корни которого уходят в каменный век. Из давних исторических народов в памяти запечатлелся главным образом народ Кельтов, а именно племя Боев, давшее стране название «Boiohaemum», оттуда «Böhmen» или «Bohemia». С начала 6-ого века на территории селились славянские племена, вскоре образовавшие первое государство, Великоморавскую империю. После её разрушения власть закрепили за собой Чехи, создавшие под правлением князей Пршемысловичей преемственную линию чешского государства, доходящую до наших дней.

Стратегически выгодное положение в сердце Европы сделало Чехию местом естественного пересечения политических влияний и культурных течений, из которых постепенно кристаллизировался автономный чешский элемент, не только принимающий импульсы европейского развития, но также не раз активно воздействующий на него и определяющий его направление. За время своего существования чехи неоднократно доказывали свой творческий потенциал в политике, науке и, прежде всего, в культуре. Чешская истории имеет свой золотой век, связанный с правлением династии Люксембургов, в частности, виднейшего её представителя, чешского короля и римского императора, Карла IV (1346–1378 гг.), прозванного Отцом отечества. Имеет также духовную вершину, представленную учением и деятельностью реформаторского проповедника Яна Гуса (1372–1415 гг.); рожденная им гуситская революция потрясла центральную Европу 15-ого века и открыла дорогу европейской церковной реформации. Однако самой плодородной областью, благодаря которой чехи оставили неизгладимый след в исторической памяти, является искусство. В нем наиболее ярко сказалось особое дарование чехов, созревавшее в космополитной атмосфере, свойственной чешской среде с момента ее образования, затем, чтобы ко времени экономической зрелости страны, выдать изобилие плодов изобразительного искусства, музыки и литературы. Своим фондом памятников культуры Чехия относится к самым богатым государствам. Перечень их начинается с раннесредневековых памятников Великоморавской империи, продолжается романским и раннеготическим периодами, в которых возникает большинство исторических городов, достигает вершины в искусстве поздней готики 14-ого и 15-ого веков, после чего в очередной раз дает прозвучать великолепным работам так называемой ягеллонской готики. После окончания тридцатилетней войны наступает наиболее знаменательная эпоха барокко. В искусстве барокко чехи, как говорится, нашли себя, и именно в нем их артистические способности развернулись в самых красочных тонах. Без преувеличения можно сказать, что барокко стало всенародным стилем, который не ограничился стенами дворцов и храмов, но проник во все города и деревни. В Чехии, Моравии и Силезии можно также найти выдающиеся образцы более новых стилей, пусть это ампир, псевдоисторические стили, кубизм, или некоторые постройки современной архитектуры.

У каждого региона есть свои особенности и есть что предложить восприимчивому посетителю. Сокровища архитектуры, природные сцены, постройки народной архитектуры и скульптурные произведения вписаны в ландшафт так, будто стоят там испокон веков. Все это создает неделимое целое, полное очарования и достойное нашего внимания, ухода и охраны.

Praha
· Prag
· Prague
· Prague
· Praga
· Прага

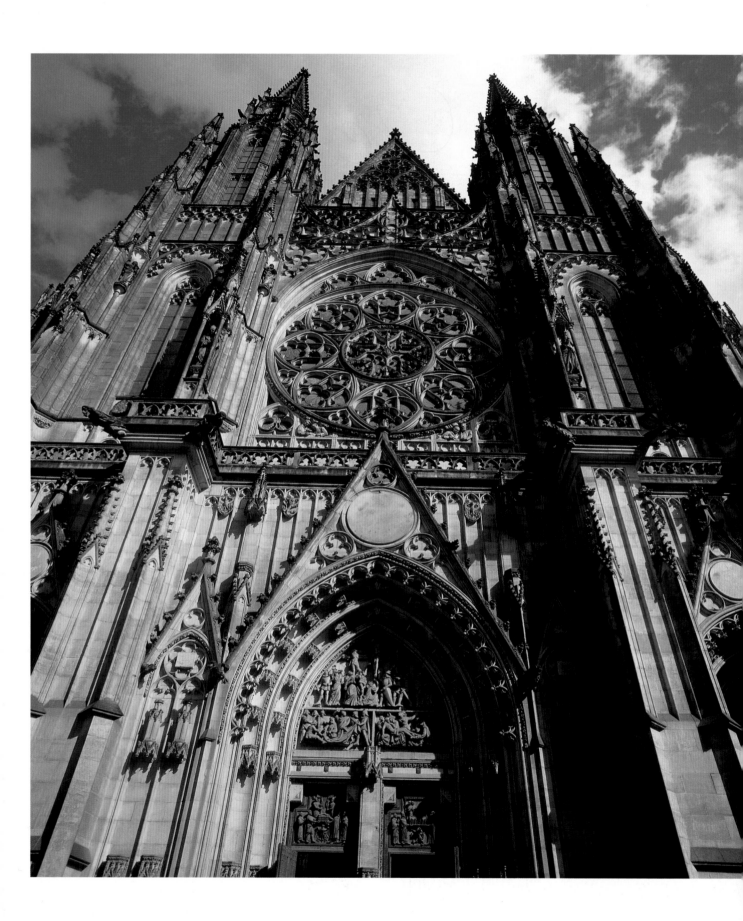

■ Katedrála sv. Víta na Pražském hradě
■ Veitsdom in der Prager Burg
■ St Vitus's Cathedral at Prague Castle
■ La cathédrale Saint-Guy au Château de Prague
■ Cattedrale di S. Vito al Castello di Praga
■ Кафедральный собор св. Вита на Пражском граде

14

■ Svatováclavská kaple v katedrále sv. Víta
■ Kapelle des hl. Wenzels im Veitsdom
■ St Wenceslas's Chapel in St Vitus's Cathedral
■ La chapelle Saint-Venceslav dans la cathédrale Saint-Guy
■ Cappella di S. Venceslao nella Cattedrale di S. Vito
■ Часовня св. Вацлава в кафедральном соборе св. Вита на Пражском граде

- Staroměstské věže
- Altstädter Türme
- Old Town Towers
- Les tours de la Vieille-Ville
- Torri della Città Vecchia
- Староместские башни

- Starý židovský hřbitov
- Alter jüdischer Friedhof
- Old Jewish Cemetery
- Le Vieux cimetière juif
- Vecchio Cimitero Ebraico
- Старое еврейское кладбище

16

■ Staroměstské náměstí s kostelem P. Marie před Týnem
■ Altstädter Ring mit der Teinkirche
■ Old Town Square with the Church of Our Lady Before Týn
■ La Place de la Vieille-Ville avec l'Eglise Notre-Dame-du-Týn
■ Piazza della Città Vecchia con la chiesa di S. Maria davanti al Týn
■ Староместская площадь и костёл Девы Марии перед Тыном

17

- Socha sv. Václava a budova Národního muzea na Václavském náměstí
- Die Statue des hl. Wenzels und das Gebäude des Nationalmuseums auf dem Wenzelsplatz
- St Wenceslas's Monument and the National Museum at Wenceslas Square
- La statue de Saint Venceslas et le Musée national sur la place Venceslas
- La statua di S. Venceslao e l'edificio del Museo Nazionale in piazza Venceslao
- Памятник св. Вацлаву и здание Национального музея на Вацлавской площади

■ Národní divadlo
■ Nationaltheater
■ National Theatre
■ Le Théâtre national
■ Teatro Nazionale
■ Национальный театр

❯

■ Střední Čechy – Vrané nad Vltavou
■ Mittelböhmen – Vrané nad Vltavou
■ Central Bohemia – Vrané nad Vltavou
■ La Bohême centrale – Vrané nad Vltavou
■ La Boemia Centrale – Vrané sulla Moldava
■ Центральная Чехия – Вранэ-на-Влтаве

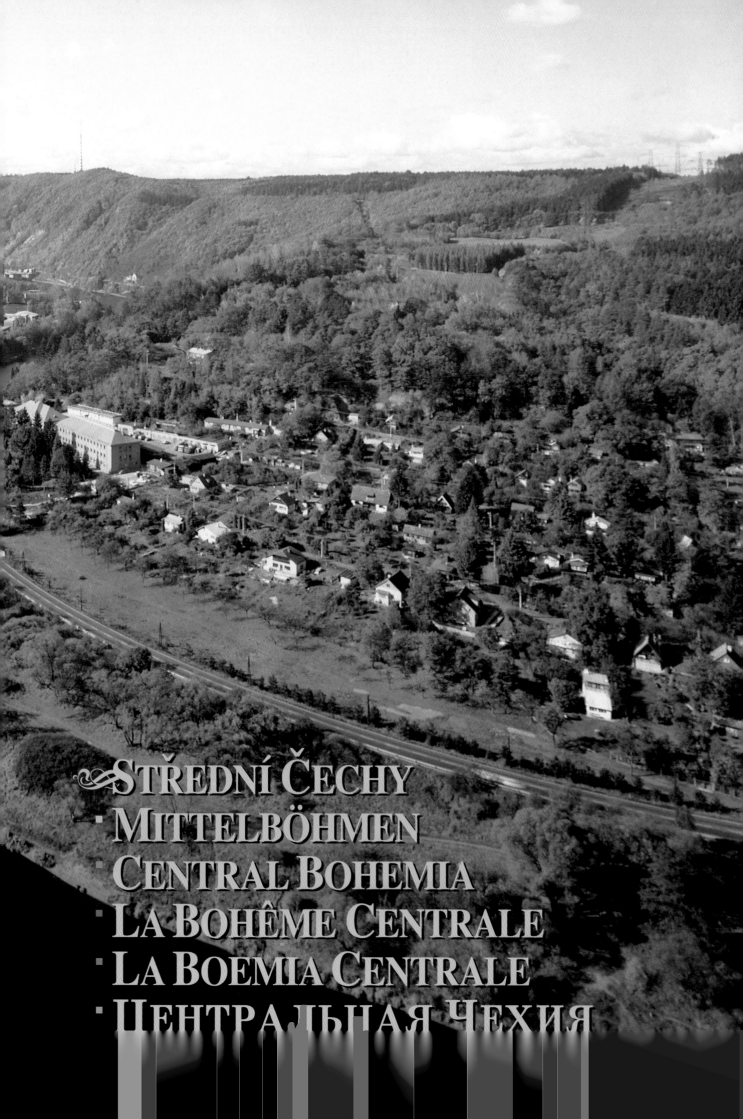

STŘEDNÍ ČECHY
· MITTELBÖHMEN
CENTRAL BOHEMIA
· LA BOHÊME CENTRALE
· LA BOEMIA CENTRALE
· ЦЕНТРАЛЬНАЯ ЧЕХИЯ

- Hrad Karlštejn
- Burg Karlštejn
- Karlštejn Castle
- Le château fort de Karlštejn
- Il Castello di Karlštejn
- Замок Карлштейн

- Karel IV. na obraze Mistra Teodorika
- Karl IV. auf einem Bild von Meister Teodorik
- Charles IV in the picture by Master Theodoric
- Charles IV, tableau de Maître Theodoricus
- Ritratto di Carlo IV, opera del Maestro Theodorik
- Карел IV на картине Мастера Теодорика

■ Kaple sv. Kříže na Karlštejně
■ Kreuzkapelle in Karlštejn
■ Chapel of the Holy Rood at Karlštejn Castle
■ La Chapelle de la Sainte-Croix au Château de Karlštejn
■ Castello di Karlštejn, Cappella della Santa Croce
■ Часовня св. Креста, замок Карлштейн

23

■ Vápencové skály v Českém krasu
■ Kalksteinfelsen im Böhmischen Karst
■ Limestone rocks in Český Kras (Bohemian Karst)
■ Les rochers du Karst tchèque
■ Rocce calcaree nel Carso boemo
■ Известняковые скалы, Чешский Крас

■ Berounka pod Tetínem
■ Berounka unter Tetín
■ Berounka River below Tetín
■ La rivière Berounka au pied de Tetín
■ Berounka ai piedi di Tetín
■ Река Бероунка под Тетином

- Vstup do Koněpruských jeskyní
- Eingang in die Höhlen von Koněprusy
- Entrance to the Koněprusy Caves
- L'entrée des grottes de Koněprusy
- Ingresso alle grotte di Koněprusy
- Вход в Конепрусские пещеры

■ Chrám sv. Barbory v Kutné Hoře, památkové rezervaci pod patronací UNESCO
■ Kathedrale der hl. Barbara in Kuttenberg (Kutná Hora), einer Denkmalschutzreservation der UNESCO
■ St Barbara's Cathedral in Kutná Hora, Urban Conservation Area under the auspices of UNESCO
■ L'église Sainte-Barbe à Kutná Hora, site classé sous le patronage de l'UNESCO
■ Cattedrale di S. Barbara a Kutná Hora, città monumento sotto il patrocinio dell'UNESCO
■ Храм св. Варвары в г. Кутна Гора, культурной резервации под патронацией ЮНЕСКО

- Kamenná kašna v Kutné Hoře
- Der steinerne Brunnen in Kuttenberg (Kutná Hora)
- Stone Fountain in Kutná Hora
- Fontaine de pierre à Kutná Hora
- Kutná Hora, Fontana in pietra
- Каменный водоем, Кутна Гора

- Kutná Hora, Vlašský dvůr
- Kuttenberg (Kutná Hora), der Welsche Hof
- Kutná Hora, Italian Court
- Kutná Hora, Vlašský dvůr (Cour italienne)
- Kutná Hora, Corte degli Italiani
- Кутна Гора, Итальянский двор

■ Svatý Jakub u Kutné Hory
■ Jakobskirche bei Kuttenberg (Kutná Hora)
■ St James's Church near Kutná Hora
■ Saint-Jacques près de Kutná Hora
■ Chiesa di S. Giacomo vicino a Kutná Hora
■ Костёл св. Якова под Кутной Горой

- Detail výzdoby poutního areálu na Svaté Hoře
- Detail der Verzierungen im Wallfahrtsort auf dem Heiligen Berg (Svatá Hora)
- Decoration detail from the pilgrimage premises at the Holy Mountain
- Détail de l'ornement de l'aire de pèlerinage à Svatá Hora
- Monte Santo, particolare della decorazione dell'area di pellegrinaggio
- Свята гора, деталь украшения

〈

- Svatá Hora u Příbrami, jedno z nejznámějších poutních míst
- Der Heilige Berg (Svatá Hora) bei Příbram, einer der bekanntesten Wallfahrtsorte
- Holy Mountain near Příbram, one of the most famous places of pilgrimage
- Svatá Hora près de Příbram, l'un des lieux de pèlerinage les plus connus
- Il Monte Santo presso Příbram, uno dei più noti luoghi di pellegrinaggio
- Свята Гора у Пршибрами, одно из известнейших паломнических мест

- Detail výzdoby románského kostela sv. Jakuba
- Detail der Verzierungen der romanischen Jakobskirche
- Decorative detail from the Romanesque St James's Church
- Détail de la décoration de l'église romane Saint-Jacques
- Chiesa romanica di S. Giacomo, particolare della decorazione
- Деталь украшения романского костёла св. Якова

- Románský kostel v Budči
- Romanische Kirche in Budeč
- Romanesque Church in Budeč
- Budeč, église romane
- Chiesa romanica a Budeč
- Романский костёл, Будеч

- Hlava Krista z kostela v Budči
- Christuskopf in der Kirche von Budeč
- Jesus's head in the Budeč Church
- La tête du Christ à l'église de Budeč
- Chiesa di Budeč, testa del Cristo
- Голова Христа из костёла в Будчи

■ Románský kostel v Poříčí nad Sázavou
■ Romanische Kirche in Poříčí nad Sázavou
■ Romanesque church in Poříčí nad Sázavou
■ Poříčí nad Sázavou, église romane
■ Poříčí sul Sázava, chiesa romanica
■ Романский костёл, Поржичи-на-Сазаве

■ Skanzen lidové architektury v Přerově nad Labem
■ Freilichtmuseum der Volksarchitektur in Přerov nad Labem
■ Open-air museum of folk architecture in Přerov nad Labem
■ Musée d'architecture populaire en plein air à Přerov nad Labem
■ Přerov sull'Elba, Museo all'aperto di architettura popolare
■ Музей деревенской жизни и архитектуры в Пршерове-на-Лабе

32

■ Skanzen v Kouřimi
■ Freilichtmuseum in Kouřim
■ Open-air museum in Kouřim
■ Musée d'architecture populaire en plein air à Kouřim
■ Kouřim, Museo all'aperto
■ Музей деревенской жизни и архитектуры, Коуржим

■ Interiér chalupy ze skanzenu v Třebízi
■ Inneres eines Bauernhauses im Freilichtmuseum Třebíz
■ The interior of a cottage in the open-air museum in Třebíz
■ L'intérieur d'une maison au Musée d'architecture populaire en plein air à Třebíz
■ Třebíz, interno di una casa del museo all'aperto
■ Интерьер избы, музей Тржебиз

- Klášter v Sázavě
- Sázava-Kloster
- Monastery of Sázava
- Le couvent de Sázava
- Monastero di Sázava
- Сазавский монастырь

- Kapitulní síň sázavského kláštera
- Kapitelsaal des Sázava-Klosters
- The Chapter House in the Monastery of Sázava
- La Salle du Chapitre du couvent de Sázava
- Sala capitolare del Monastero di Sázava
- Капитульный зал сазавского монастыря

- Zámek v Mnichově Hradišti
- Schloss Mnichovo Hradiště
- Château in Mnichovo Hradiště
- Le château de Mnichovo Hradiště
- Castello di Mnichovo Hradiště
- Замок Мнихово Градиште

- Sbírky delftské fajánse ze zámku v Mnichově Hradišti
- Sammlungen der delphtischen Fayance im Schloss Mnichovo Hradiště
- Collections of Delft Faience in Mnichovo Hradiště Château
- La collection de faïences de Delft au château de Mnichovo Hradiště
- Raccolte della maiolica di Delft al castello di Mnichovo Hradiště
- Замок Мнихово Градиште, Коллекции дельфтского фаянса в замке Мнихово Градиште

- Hora Říp
- Berg Říp
- Říp Mountain
- Le mont Říp
- Monte Říp
- Гора Ржип

- Kaple sv. Jiří na Řípu
- Kapelle des hl. Georgs auf dem Berg Říp
- Chapel of St George on Říp Mountain
- La chapelle Saint-Georges sur le mont Říp
- Cappella di S. Giorgio sul monte Říp
- Часовня св. Иржи (Георгия) на горе Ржип

■ Mělníku dominuje lobkovický zámek
■ Schloss Lobkowitz – die Dominante von Mělník
■ Mělník is dominated by Lobkowitz Château
■ Le château des Lobkovitz domine la ville de Mělník
■ Castello dei Lobkowicz a Mělník
■ Лобковицкий замок – доминанта г. Мельник

■ Středověké opevnění Nymburka
■ Mittealterliche Befestigungsanlage in Nymburg
■ Fortifications of Nymburk from the Middle Ages
■ Les fortifications médiévales de la ville de Nymburk
■ Nymburk, fortificazione medioevale
■ Средневековое укрепление г. Нимбурк

■ Český Šternberk
□ Český Šternberg
■ Český Šternberk Castle
■ Český Štenberk
■ Český Šternberk
□ Замок Чешский Штернберк

■ Z interiérů Českého Šternberka
□ Aus dem Interieur von Český Šternberg
■ The Interior of Český Šternberk Castle
■ Les intérieurs du château de Český Štenberk
■ Interno del castello di Český Šternberk
□ Интерьер замка Чешский Штернберк

■ Zámek v Jemništi
■ Schloss in Jemniště
■ Château in Jemniště
■ Le château de Jemniště
■ Castello di Jemniště
■ Замок Емниште

■ Kaple sv. Josefa na zámku v Jemništi
■ Kapelle des hl. Josef im Schloss Jemniště
■ Chapel of St Joseph in Jemniště Château
■ La chapelle Saint-Joseph au château de Jemniště
■ Cappella di S. Giuseppe al castello di Jemniště
■ Часовня св. Иосифа, замок Емниште

■ Jižní Čechy – Horusický rybník u Veselí nad Lužnicí
■ Südböhmen – Teich von Horusice bei Veselí nad Lužnicí
■ South Bohemia – The Horusice Lake at Veselí nad Lužnicí
■ Bohême du Sud – L'étang Horusický près de Veselí nad Lužnicí
■ La Boemia Meridionale – Lago di Horusice presso Veselí sul Lužnice
■ Южная Чехия – Хорусицкий пруд близ г. Весели-на-Лужнице

>

Jižní Čechy
· Südböhmen
· South Bohemia
· La Bohême du Sud
· La Boemia del Sud
· Южная Чехия

- Český Krumlov, památková rezervace pod patronací UNESCO
- Český Krumlov (Böhmisch Krumau), eine Denkmalschutzreservation der UNESCO
- Český Krumlov, Urban Conservation Area under the auspices of UNESCO
- Český Krumlov, site classé sous le patronage de l'UNESCO
- Český Krumlov, città monumento sotto il patrocinio dell'UNESCO
- Чешский Крумлов, культурная резервация под патронацией ЮНЕСКО

42

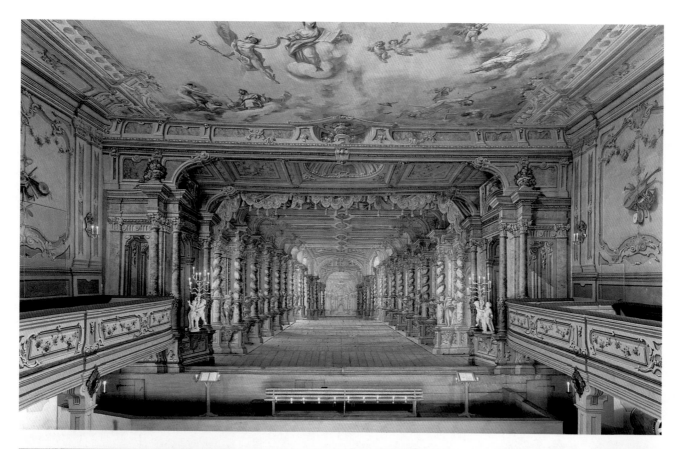

■ Barokní divadlo v českokrumlovském zámku
■ Barocktheater im Schloss Český Krumlov
■ Baroque Theatre in Český Krumlov Château
■ Théâtre baroque au château de Český Krumlov
■ Castello di Český Krumlov, Teatro barocco
■ Барочный театр, замок Чешский Крумлов

■ Maškarní sál zámku v Českém Krumlově
■ Maskensaal im Schloss Český Krumlov
■ The Carnival Hall in Český Krumlov Château
■ La Salle des Masques au château de Český Krumlov
■ Castello di Český Krumlov, Sala delle maschere
■ Маскарадный зал, замок Чешский Крумлов

- Zámek Rožmberk nad Vltavou
- Schloss Rožmberk nad Vltavou
- Château in Rožmberk nad Vltavou
- Le château de Rožmberk nad Vltavou
- Castello di Rožmberk sulla Moldava
- Замок Рожмберк-на-Влтаве

44

- Náměstí v Pelhřimově
- Platz von Pelhřimov
- Square in Pelhřimov
- Pelhřimov, la place de la ville
- Una piazza di Pelhřimov
- Пельгржимов, городская площадь

45

- Zámek v Blatné
- Schloss in Blatná
- Château in Blatná
- Le château de Blatná
- Castello di Blatná
- Замок Блатна

- Z interiérů blatenského zámku
- Aus dem Interieur des Schlosses in Blatná
- The Interiors of Blatná Château
- Les intérieurs du château de Blatná
- Interno del castello di Blatná
- Интерьер замка Блатна

- Týn nad Vltavou
- Týn nad Vltavou
- Týn nad Vltavou
- Týn nad Vltavou
- Týn sulla Moldava
- Тын-на-Влтаве

- Zlatý poklad z kostela v Týně nad Vltavou
- Goldener Hort aus der Kirche in Týn nad Vltavou
- The golden treasure from Týn nad Vltavou Church
- Týn nad Vltavou, le trésor de l'église
- Chiesa di Týn sulla Moldava, Tesoro d'oro
- Золотой клад из костёла в Тыне-на-Влтаве

47

- Klášter ve Vyšším Brodě
- Kloster in Vyšší Brod
- Monastery in Vyšší Brod
- Vyšší Brod, le couvent
- Convento di Vyšší Brod
- Монастырь в Высшем Броде

- Opatská knihovna ve Vyšším Brodě
- Abteibibliothek in Vyšší Brod
- Abbey Library in Vyšší Brod
- Vyšší Brod, la bibliothèque abbatiale
- Vyšší Brod, biblioteca abbaziale
- Монастырская библиотека, Высший Брод

- Klášter v Želivi
- Kloster in Želiv
- Monastery in Želiv
- Želiv, le couvent
- Convento di Želiv
- Монастырь в Желиве

- Interiér klášterního kostela v Želivi
- Interieur der Klosterkirche in Želiv
- The Interior of the Monastery Church in Želiv
- Couvent de Želiv: intérieur de l'église
- Želiv, interno della chiesa conventuale
- Интерьер костёла при монастыре в Желиве

- Holašovice, památková rezervace pod patronací UNESCO
- Holašovice, eine Denkmalschutzreservation der UNESCO
- Holašovice, Urban Conservation Area under the auspices of UNESCO
- Holašovice, site classé sous le patronage de l'UNESCO
- Holašovice, città monumento sotto il patrocinio dell'UNESCO
- Холашовице, культурная резервация под патронацией ЮНЕСКО

■ Plástovice, barokní hospodářské stavení
■ Plástovice, ein barockes Wirtschaftsgebäude
■ Plástovice, the Baroque farmhouse
■ Plástovice, dépendances baroques
■ Plástovice, masseria barocca
■ Пластовице, барочная хозяйственная постройка

■ Jihočeský barokní statek v Jiřeticích
■ Südböhmischer barocker Bauernhof in Jiřetice
■ The South Bohemian Baroque farmhouse in Jiřetice
■ Ferme baroque de la Bohême du Sud à Jiřetice
■ Jiřetice, masseria barocca della Boemia meridionale
■ Барочная усадьба Йиржетице в Южной Чехии

51

- Klášter v Klokotech u Tábora
- Kloster in Klokoty bei Tábor
- Cloister in Klokoty near Tábor
- Le couvent de Klokoty près de Tábor
- Convento di Klokoty presso Tábor
- Монастырь Клокоты у Табора

- Děkanský chrám v Táboře
- Dekanatskirche in Tábor
- Deanery Church in Tábor
- Tábor, l'église décanale
- Tábor, cattedrale del decano
- Соборный храм, Табор

- Ctiborův dům v Táboře
- Ctibors Haus in Tábor
- Ctibor's house in Tábor
- Tábor, la maison Ctibor
- Tábor, casa di Ctibor
- Дом Цтибора, Табор

■ Tábor, hrad Kotnov
■ Tábor, Burg Kotnov
■ Tábor, Kotnov Castle
■ Tábor, le château fort Kotnov
■ Tábor, castello di Kotnov
■ Табор, замок Котнов

- Renesanční domy ve Slavonicích
- Renaissancehäuser in Slavonice
- Renaissance houses in Slavonice
- Maisons Renaissance à Slavonice
- Case rinascimentali di Slavonice
- Ренессансные дома, Славонице

■ Kostel Nejsvětější Trojice v Chýnově
■ Kirche der hl. Dreifaltigkeit in Chýnov
■ The Holy Trinity Church in Chýnov
■ Chýnov, l'église de la Sainte-Trinité
■ Chýnov, chiesa della Santissima Trinità
■ Костёл Пресвятой Троицы, Хинов

55

■ Zámek Červená Lhota
□ Schloss Červená Lhota
■ Červená Lhota Castle
■ Le château de Červená Lhota
■ Castello di Červená Lhota
■ Замок Червена Лхота

■ Francouzský salonek na Červené Lhotě
□ Französischer Salon in Červená Lhota
■ The French salon in Červená Lhota Castle
■ Červená Lhota, le salon français
■ Červená Lhota, salotto Francese
■ Французский салон, замок Червена Лхота

■ Jindřichův Hradec
■ Jindřichův Hradec (Neuhaus)
■ Jindřichův Hradec
■ Jindřichův Hradec
■ Jindřichův Hradec
■ Индржихув Градец

■ Madona z muzea v Jindřichově Hradci
■ Madonna aus dem Museum in Jindřichův Hradec
■ Madonna in the museum in Jindřichův Hradec
■ La Madone au musée de Jindřichův Hradec
■ Museo di Jindřichův Hradec – Madonna
■ Мадонна, музей г. Индржихув Градец

57

- Náměstí v Třeboni
- Třeboň – Platz
- Square in Třeboň
- Třeboň, place de la ville
- Una piazza di Třeboň
- Тршебонь, городская площадь

- Třeboňská madona z děkanského kostela sv. Jiljí
- Madonna von Třeboň aus der Dekanatskirche des hl. Ägidius
- The Třeboň Madonna from the Convent of St Giles
- La Madone de Třeboň dans l'église décanale Saint-Gilles
- La Madonna di Třeboň proveniente dalla chiesa del decano di Sant'Egidio
- Тршебоньская Мадонна из соборного храма св. Ильи

ZÁPADNÍ ČECHY
· WESTBÖHMEN
· WESTERN BOHEMIA
· LA BOHÊME DE L'OUEST
· LA BOEMIA DELL' OVEST
· ЗАПАДНАЯ ЧЕХИЯ

- Plzeň, kulturní i průmyslové centrum západních Čech
- Plzeň (Pilsen), das Kultur- und Industriezentrum von Westböhmen
- Pilsen, the cultural and industrial centre of Western Bohemia
- Plzeň, centre culturel et industriel de la Bohême de l'Ouest
- Plzeň, centro culturale e industriale della Boemia Occidentale
- Пльзень, культурный и промышленный центр Западной Чехии

- Kostel sv. Bartoloměje v Plzni
- St.-Bartholomäus-Kirche in Pilsen
- St Bartholomew's Cathedral in Pilsen
- Plzeň, l'église Saint-Barthélemy
- Plzeň, chiesa di S. Bartolomeo
- Костёл св. Варфоломия, Пльзень

- Plzeňská radnice
- Pilsner Rathaus
- Town Hall in Pilsen
- Plzeň, Hôtel de ville
- Municipio di Plzeň
- Ратуша, Пльзень

63

■ Svatošské skály
■ Felsen von Svatoš
■ Svatošské Rocks
■ Les rochers Svatoš (Svatošské skály)
■ Rocce Svatošské
■ Сватошские скалы

■ Rezervace Soos, Císařský pramen
□ Naturschutzgebiet Soos, Kaiserbrunnen
■ National park Soos, the Imperial Spring
■ Site naturel classé Soos, la Source de l'empereur
■ Riserva naturale Soss, Sorgente Imperiale
□ Резервация Соос, Императорский источник

■ Karlovy Vary, hotel Imperial
■ Karlovy Vary (Karlsbad), Hotel Imperial
■ Karlovy Vary, Imperial Hotel
■ Karlovy Vary, hôtel Imperial
■ Karlovy Vary, hotel Imperial
■ Карловы Вары, гостиница Империал

■ Vyhlídkový altán nad Karlovými Vary
■ Aussichtsaltan über Karlsbad
■ Observation Gazebo above Karlovy Vary
■ Le belvédère de Karlovy Vary
■ Altana panoramica sopra Karlovy Vary
■ Смотровая беседка над Карловыми Варами

- Karlovarské nábřeží při říčce Teplá
- Karlsbader Kai am Fluss Teplá
- Karlovy Vary embankment along the river Teplá
- Karlovy Vary, le quai de la rivière Teplá
- Karlovy Vary, la riva del fiume Teplá
- Набережная речки Тепла, Карловы Вары

- Pramen Vřídlo
- Quelle Vřídlo
- Vřídlo Spring
- La Source Zřídlo
- Sorgente Vřídlo
- Источник Вржидло, Карловы Вары

- Karlovarské divadlo
- Karlsbader Theater
- Karlovy Vary Theatre
- Karlovy Vary, le Théâtre
- Teatro di Karlovy Vary
- Карловарский театр

67

Nový Drahov na Chebsku
Nový Drahov bei Cheb (Eger)
Nový Drahov in the Cheb region
Nový Drahov près de Cheb
Nový Drahov nella regione di Cheb
Новы Драхов, хебский регион

■ Krajina v okolí Chebu
░ Landschaft um Cheb (Eger)
■ Landscape near Cheb
■ Les environs de Cheb
■ Paesaggio nei dintorni di Cheb
░ Окресности г. Хеб

■ Kaplička u Unešova
░ Kapelle bei Unešov
■ Chapel near Unešov
■ Petite chapelle près de Unešov
■ Una cappella vicino a Unešov
░ Часовенка близ Унешова

- Divadlo ve Františkových Lázních
- Theater in Františkovy Lázně (Franzensbad)
- Theatre in Františkovy Lázně
- Františkovy Lázně, le Théâtre
- Teatro di Františkovy Lázně
- Театр, Франтишковы Лазне

- Františkovy Lázně, Dvorana Glauberových pramenů
- Františkovy Lázně (Franzensbad), Hof der Glaubner-Quellen
- Františkovy Lázně, Glauber's Springs Hall
- Františkovy Lázně, les sources Glauber
- Františkovy Lázně, Padiglione delle sorgenti Glauber
- Франтишковы Лазне, зал источников Глаубера

■ Mariánské Lázně, Rudolfův pramen
▩ Mariánské Lázně (Marienbad), Rudolfquelle
■ Mariánské Lázně, Rudolph's Spring
■ Mariánské Lázně, la source Rodolphe
■ Mariánské Lázně, Sorgente di Rodolfo
▩ Марианске Лазне, источник Рудольфа

■ Kolonáda v Mariánských Lázních
▩ Marienbader Kolonade
■ Colonnade in Mariánské Lázně
■ Mariánské Lázně, la colonnade
■ Colonnato di Mariánské Lázně
▩ Колоннада, Марианске Лазне

■ Klášter Teplá
■ Kloster Teplá
■ Monastery of Teplá
■ Teplá, le couvent
■ Monastero di Teplá
■ Монастырь Тепла

■ Proslulá tepelská knihovna
■ Die berühmte Bibliothek von Teplá
■ The famous library in Teplá
■ Teplá, la célèbre bibliothèque
■ La famosa biblioteca del Monastero di Teplá
■ Прославленная монастырская библиотека, Тепла

■ Šumava od Kašperských Hor
■ Böhmerwald von Kašperské Hory aus gesehen
■ The Šumava Mountains viewed from Kašperské Hory
■ Le massif de Šumava vu de Kašperské Hory
■ Šumava vista dai monti Kašperské
■ Шумава, вид со стороны Кашперских гор

■ Kout na Šumavě
■ Dorf Kout na Šumavě
■ Beauty spot in the Šumava Mountains
■ Šumava, Kout
■ Kout na Šumavě (Kout di Šumava)
■ Уголок на Шумаве

- Modravské slatě
- Modrava – Torfmoor
- Modrava moors
- Les marécages de Modrava
- Paludi di Modrava
- Модравские торфяные болота

- Černé jezero na Šumavě
- Černé jezero (Schwarzer See) im Böhmerwald
- The Black Lake in the Šumava Mountains
- Šumava, Černé jezero (le Lac noir)
- Lago Nero nei monti Šumava
- Черное озеро на Шумаве

- Soubor domů zvaných Špalíček na chebském náměstí
- Häuserkomplex „Špalíček" auf dem Platz von Cheb (Eger)
- The set of picturesque houses called Špalíček ("block") in the Cheb Square
- Le groupe de maisons Špalíček sur la place de Cheb
- Piazza di Cheb, complesso di case chiamato „Špalíček"
- Комплекс домов под названием «Шпаличек», Хеб

- Kostel sv. Mikuláše v Chebu
- St-Nikolaus-Kirche in Cheb (Eger)
- St Nicholas's Church in Cheb
- Cheb, l'église Saint-Nicolas
- Cheb, chiesa di S. Nicola
- Костёл св. Николая, Хеб

- Chebský hrad
- Burg von Cheb (Eger)
- Cheb Castle
- Cheb, le château fort
- Castello di Cheb
- Хебский замок

■ Mohutná zřícenina hradu Rabí
▪ Die mächtige Burgruine Rabí
■ The stately ruins of Rabí Castle
■ Les ruines imposantes du château fort Rabí
■ Imponenti ruderi del castello di Rabí
▪ Развалины монументального замка Раби

■ Zřícenina hradu ve Velharticích
■ Burgruine Velhartice
■ Ruins of the Castle in Velhartice
■ Velhartice, les ruines du château fort
■ Ruderi del castello di Velhartice
■ Развалины замка Велхартице

■ Domažlické náměstí
■ Domažlice (Taus) – Platz
■ Domažlice Square
■ Domažlice, la place
■ Piazza di Domažlice
■ Домажлице, городская площадь

■ Severní Čechy – Českému středohoří dominuje Milešovka
■ Nordböhmen – Milešovka, die Dominante des Böhmischen Mittelgebirges
■ North Bohemia – The Milešovka Mountain dominates the Central Bohemian Highlands (České středohoří)
■ Bohême du Nord – Le mont Milešovka domine le Massif central de Bohême
■ La Boemia Settentrionale – Milešovka, cima delle colline di České středohoří
■ Северная Чехия – Чешский центральный массив и его доминанта, гора Милешовка

›

Severní Čechy
Nordböhmen
North Bohemia
La Bohême du Nord
La Boemia del Nord
Северная Чехия

■ Ústí nad Labem, hrad Střekov
■ Ústí nad Labem (Aussig), Burg Střekov
■ Ústí nad Labem, Střekov Castle
■ Ústí nad Labem, le château Střekov
■ Ústí sull'Elba, castello di Střekov
■ Усти-на-Лабе, замок Стржеков

■ Máchovo jezero
■ Mácha-See
■ Mácha's Lake
■ Máchovo jezero (le lac Mácha)
■ Lago di Mácha
■ Махово озеро

■ Ještěd
■ Berg Ještěd
■ Ještěd Mountain
■ Ještěd
■ Ještěd
■ Гора Ештед

■ Boží muka u Jablonného v Podještědí
■ Martersäule bei Jablonné v Podještědí
■ Wayside Shrine in Jablonné in Podještědí
■ Jablonné v Podještědí, le Calvaire
■ Calvario a Jablonné v Podještědí
■ Распятие, Яблонне в Подъештеди

■ Chrám sv. Vavřince a sv. Zdislavy v Jablonném v Podještědí
■ Kirche des hl. Laurentius und der hl. Zdislava in Jablonné v Podještědí
■ St Lawrence and St. Zdislava's Church in Jablonné in Podještědí
■ Jablonné v Podještědí, l'église Saint-Laurent et Sainte-Zdislava
■ Jablonné v Podještědí, chiesa dei SS. Lorenzo e Zdislava
■ Храм св. Вавржинца (Лаврентия) и св. Здиславы, Яблоннэ в Подъештеди

■ Hazmburk
■ Hazmburk
■ Hazmburk
■ Hazmburk
■ Hazmburk
■ Хазмбурк

89

■ Pravčická brána
□ Felsentor von Pravčice
■ Gate in Pravčice
■ La Porte de Pravčice
■ Ponte di roccia chiamato (Porta di Pravčice)
□ Правчицкие ворота

■ Děčín
■ Děčín
■ Děčín
■ Děčín
■ Děčín
■ Дечин

■ Okolí Janova v Jizerských horách
■ Umgebung von Janov im Isergebirge
■ Surroundings of Janov in the Jizerské Mountains
■ Les alentours de Janov dans les monts Jizerské hory
■ Monti Jizerské, i dintorni di Janov
■ Окресности Янова в Йизерских горах

■ Bukovec nad obcí Jizerka
■ Bukovec über dem Dorf Jizerka
■ The Bukovec Hill above the village of Jizerka
■ Bukovec au-dessus de la commune de Jizerka
■ Bukovec sopra il comune di Jizerka
■ Гора Буковец над селением Йизерка

- Hřbitůvek v Pasekách nad Jizerou
- Kleiner Friedhof in Paseky nad Jizerou
- The little cemetery in Paseky nad Jizerou
- Petit cimetière à Paseky nad Jizerou
- Paseky nad Jizerou, piccolo cimitero
- Маленькое кладбище, Пасеки-на-Йизере

93

■ Radnice v Liberci
■ Rathaus in Liberec (Reichenberg)
■ Town Hall in Liberec
■ Liberec, l'Hôtel de ville
■ Municipio di Liberec
■ Либерец, здание ратуши

■ Roubený statek ve Starých Splavech
▧ Zimmerwerk in Staré Splavy
■ Timbered farmhouse in Staré Splavy
■ Une ferme en bois à Staré Splavy
■ Staré Splavy, podere costruito in legno
96 ■ Бревенчатый усадебный дом, Старые Сплавы

Malá pevnost v Terezíně
Kleine Festung in Terezín (Theresienstadt)
Small Fortress in Terezín
Terezín, la Petite forteresse (Malá pevnost)
Piccola fortezza di Terezín
Малая крепость Терезин

■ Budova muzea v Litoměřicích
■ Museumsgebäude in Litoměřice (Leitmeritz)
■ Museum in Litoměřice
■ Litoměřice, le musée
■ Litoměřice, edificio del museo
■ Литомержице, здание музея

99

Východní Čechy
· Ostböhmen
Eastern Bohemia
La Bohême de l'Est
La Boemia dell' Est
· Восточная Чехия

■ Velké náměstí s katedrálním chrámem sv. Ducha v Hradci Králové
■ Großer Platz mit der Kathedrale des hl. Geistes in Hradec Králové (Königsgraz)
■ Velké náměstí (the Large Square) with the Cathedral of the Holy Spirit in Hradec Králové
■ Hradec Králové, la Grande place avec la cathédrale du Saint-Esprit
■ Hradec Králové, Piazza Grande e la Cattedrale dello Spirito Santo
■ Большая площадь и кафедральный собор св. Духа, Градец Кралове

‹ ■ Pernštejnské náměstí v Pardubicích
■ Pernštejn-Platz in Pardubice
■ Perneštejn Square in Pardubice
■ Pardubice, la place Pernštejn
■ Pardubice, piazza dei Pernštejn
■ Пернштейнская площадь, Пардубице

‹‹ ■ Východní Čechy – Krkonoše, část Pece pod Sněžkou
■ Ostböhmen – Riesengebirge, ein Teil von Pec pod Sněžkou
■ Eastern Bohemia – Krkonoše (the Giant Mountains), a part of Pec pod Sněžkou
■ Bohême de l'Est – Krkonoše (Monts des Géants), Pec pod Sněžkou
■ La Boemia Orientale – Krkonoše, Pec pod Sněžkou
■ Восточная Чехия – Крконоше, Пец-под-Снежкой, частичный вид

■ Krkonoše, Sněžka
■ Riesengebirge, Schneekoppe
■ Krkonoše (the Giant Mountains), the Sněžka Mountain
■ Krkonoše, le mont Sněžka
■ Krkonoše, Sněžka
■ Крконоше, Снежка

- Mumlavský vodopád v Krkonoších
- Mumlauer Wasserfall in Riesengebirge
- Mumlava waterfalls in Krkonoše (the Giant Mountains)
- Krkonoše, chute d'eau de la Mumlava
- Cascata Mumlavský nei monti Krkonoše
- Мумлавский водопад, Крконоше

- Obří důl v Krkonoších
- Riesengrund in Riesengebirge
- Obří důl (the Giant Mine) in Krkonoše (the Giant Mountains)
- Krkonoše, Obří důl
- Krkonoše, Vallata Gigante (Obří důl)
- Крконоше, Обржи дул

- Janské Lázně
- Janské Lázně
- Janské Lázně
- Jánské Lázně
- Janské Lázně
- Янске Лазне

105

■ Hrad Kost v Českém ráji
■ Burg Kost im Böhmischen Paradies
■ Kost Castle in Český ráj (the Bohemian Paradise)
■ Le château fort Kost dans la contrée du Paradis de Bohême (Český ráj)
■ Castello di Kost nel Paradiso Boemo
■ Замок Кость, Чешский Рай

■ Z interiérů hradu Kost
■ Aus dem Inneren der Burg Kost
■ From the interiors of Kost Castle
■ Kost, les intérieurs du château fort
■ Interno del castello di Kost
■ Интерьер замка Кость

- Dominantou Českého ráje je zřícenina hradu Trosky
- Die Dominante des Böhmischen Paradieses – die Burgruine Trosky
- The ruins of Trosky Castle are the dominant feature of Český ráj (the Bohemian Paradise)
- Les ruines du château fort Trosky dominent le Český ráj
- Ruderi del castello di Trosky, punto caratteristico del Paradiso Boemo
- Развалины замка Троски – доминанта области Чешский рай

■ Interiér Dlaskova statku
■ Interieur des Dlask-Hofes (Dlaskův statek)
■ Interior of Dlask's Farmhouse
■ L'intérieur de la ferme Dlask
■ Interno del podere di Dlask
■ Дласкув статек (усадьба Дласка), интерьер дома

■ Dlaskův statek v Dolánkách u Turnova
■ Dlask-Hof (Dlaskův statek) in Dolánky bei Turnov
■ Dlask's Farmhouse in Dolánky at Turnov
■ La ferme Dlask à Dolánky près de Turnov
■ Dolánky presso Turnov, podere di Dlask
■ Усадьба Дласка, Доланки под Турновом

- Areál bývalého špitálu v Kuksu
- Ehemaliger Spitalkomplex in Kuks
- Premises of the former hospital in Kuks
- Ancien hôpital à Kuks
- Area dell'ex ospedale di Kuks
- Территория бывшего госпиталя, Кукс

- Sochařská výzdoba Kuksu pochází z dílny M. B. Brauna
- Der Bildhauerschmuck von Kuks stammt aus der Werkstatt von M. B. Braun
- Sculptural decoration of Kuks from the workshop of M. B. Braun
- Statues de l'atelier de M. B. Braun, château Kuks
- Kuks, decorazione scultorea dovuta all'officina di M. B. Braun
- Скульптурные украшения замка Кукс – работа мастерской М. Б. Брауна

109

111

■ Zámek v Litomyšli, památka UNESCO
■ Schloss in Litomyšl, ein UNESCO-Denkmal
■ Castle in Litomyšl, UNESCO monument
■ Le château de Litomyšl, monument classé sous le patronage de l'UNESCO
■ Castello di Litomyšl, monumento dell'UNESCO
■ Замок в г. Литомышль, памятник ЮНЕСКО

■ Jídelna zámku v Litomyšli
■ Esszimmer im Schloss Litomyšl
■ Dining room in Litomyšl Castle
■ La salle à manger du château de Litomyšl
■ Castello di Litomyšl, sala da pranzo
■ Столовая замка в Литомышли

■ Renesanční arkády zámku v Opočně
■ Renaissancearkaden des Schlosses Opočno
■ Renaissance arcade in Opočno castle
■ Opočno, les arcades Renaissance du château
■ Castello di Opočno, porticato rinascimentale
■ Ренессансные аркады замка Опочно

■ Velký salon opočenského zámku
■ Großer Salon des Schlosses Opočno
■ Grand Salon in Opočno Castle
■ Opočno, le Grand salon du château
■ Castello di Opočno, Grande salone
■ Большой салон замка Опочно

- Sobotka, v pozadí zámek Humprecht
- Sobotka, im Hintergrund Schloss Humprecht
- Sobotka, with Humprecht Castle in the background
- Sobotka et le château Humprecht
- Sobotka, sullo sfondo il castello di Humprecht
- Соботка, на фоне замок Хумпрехт

- Nárožnice soboteckého graduálu
- Eckband des Graduals von Sobotka
- Square of the Sobotka Gradual
- Détail du graduel de Sobotka
- Graduale di Sobotka
- Деталь песенника из Соботки

- Sobotecká městská pečeť
- Stadtsiegel von Sobotka
- Sobotka Town Seal
- Le sceau municipal de Sobotka
- Sigillo della città di Sobotka
- Городская печать Соботки

115

■ Skanzen na Veselém kopci
■ Freilichtmuseum auf Veselý kopec
■ Open-air museum on the Veselý kopec
■ Veselý kopec, le musée en plein air
■ Veselý kopec, Museo all'aperto
■ Музей деревенской жизни и архитектуры, Веселы копец

117

Jižní Morava
- Südmähren
- South Moravia
- La Moravie du Sud
- La Moravia del Sud
- Южная Моравия

- Mahenovo divadlo v Brně
- Mahen-Theater in Brno (Brünn)
- Mahen's Theatre in Brno
- Brno, le Théâtre Mahen
- Teatro Mahen a Brno
- Театр им. Магена, Брно

- Pevnost na Špilberku
- Festung auf Špilberk
- Citadel on Špilberk Hill
- La forteresse de Špilberk
- Fortezza di Špilberg
- Крепость Шпильберк

- Brno má ve znaku draka
- Brno führt einen Drachen im Wappen
- Brno has a dragon in its emblem
- Brno a dans ses armes un dragon
- Il drago figura nello stemma di Brno
- Дракон в знаке города Брно

■ Katedrála sv. Petra a Pavla na brněnském vrchu Petrov
■ Peter-und-Paul-Kathedrale auf dem Hügel Petrov in Brno
■ St Peter and St Paul's Cathedral on the Brno Petrov Hill
■ La cathédrale Saint-Pierre et Saint-Paul sur la butte Petrov à Brno
■ Brno, Cattedrale dei SS. Pietro e Paolo sul colle di Petrov
■ Кафедральный собор святых Петра и Павла на горе Петров, Брно

123

■ Zámek v Lednici. Lednicko-valtický areál je památkou UNESCO
■ Schloss Lednice. Das Gebiet von Lednice und Valtice ist ein UNESCO-Denkmal
■ Lednice Castle. The Lednice-Valtice premises are a UNESCO monument
■ Le château de Lednice. Ce site est sous le patronage de l'UNESCO
■ Castello di Lednice. Area di Lednice – Valtice è monumento dell'UNESCO
■ Замок Леднице. Ледницко-валтицкий ареал является памятником ЮНЕСКО

■ Minaret v lednickém parku
■ Minarett im Park des Schlosses Lednice
■ Minaret in Lednice Park
■ Le minaret dans le parc du château de Lednice
■ Minareto nel parco di Lednice
■ Минарет в ледницком парке

- Valtický park, letohrádek Kolonáda
- Park in Valtice, Lusthaus Kolonáda
- Valtice Park, Colonnade Summer House
- Valtice, le parc du château avec le pavillon de plaisance Kolonáda
- Parco di Valtice, belvedere Colonnato
- Валтицкий парк, летний дворец «Колоннада»

- Panelová obrazárna ve valtickém zámku
- Gemäldegalerie im Schloss Valtice
- Panel picture gallery in Valtice Château
- Valtice, la galerie au château
- Pinacoteca del castello di Valtice
- Панельная галерея замка Валтице

- Krajina Českomoravské vrchoviny
- Landschaft der Böhmisch-Mährischen Höhe
- Českomoravská Vrchovina (Bohemian-Moravian Highlands) landscape
- Les Hauteurs de Moravie
- Paesaggio dei Colli Ceco-moravi
- Ландшафт Чешско-моравской возвышенности

- Obec Krátká na Českomoravské vrchovině
- Dorf Krátká in der Böhmisch-Mährischen Höhe
- Krátká village in Českomoravská vrchovina (Bohemian-Moravian Highlands)
- La commune de Krátká dans les Hauteurs de Moravie
- Comune di Krátká nei Colli Ceco-moravi
- Селение Кратка в Чешско-моравской возвышенности

- Vodní mlýn, technická památka v obci Slup
- Wassermühle, ein technisches Denkmal in Slup
- Water Mill, technical monument in the village of Slup
- Moulin à eau, monument technique à Slup
- Mulino ad acqua, monumento tecnico del comune di Slup
- Водяная мельница, технический памятник, Слуп

- Celkový pohled na mlýn ve Slupu
- Gesamtansicht der Wassermühle in Slup
- Panorama of the Mill in Slup
- Le moulin à Slup
- Mulino di Slup
- Мельница, Слуп

- Renesanční domy na náměstí v Telči
- Renaissancehäuser auf dem Platz in Telč
- Renaissance houses in the square in Telč
- La place de Telč et ses maisons Renaissance
- Telč, case rinascimentali in piazza
- Тельч, ренессансные дома

- Kašna na telčském náměstí
- Brunnen auf dem Platz in Telč
- Fountain in Telč square
- Telč, la place et la fontaine
- Telč, fontana in piazza
- Тельч, водоем на площади

- Telčský zámek, památka UNESCO
- Schloss Telč, ein UNESCO-Denkmal
- Telč Castle, UNESCO monument
- Telč, le château classé sous le patronage de l'UNESCO
- Castello di Telč, monumento dell'UNESCO
- Замок Тельч, памятник ЮНЕСКО

- Zahrada telčského zámku
- Garten des Schlosses von Telč
- Garden of Telč Castle
- Telč, le jardin du château
- Giardino del castello di Telč
- Парк замка Тельч

■ Jeskyně Balcarka v Moravském krasu
■ Höhle Balcarka im Mährischen Karst
■ Balcarka Caves in Moravský kras (Moravian Karst)
■ Karst morave – la grotte Balcarka
■ Grotta Balcarka nel Carso moravo
■ Пещера Балцарка, области Моравский Крас

130

■ Zámek v Rájci nad Svitavou
■ Schloss in Rájec nad Svitavou
■ Castle in Rájec nad Svitavou
■ Rájec nad Svitavou, le château
■ Castello di Rájec nad Svitavou
■ Раец-на-Свитаве, замок

131

- Buchlovický zámek
- Schloss Buchlovice
- Buchlovice Castle
- Buchlovice, le château
- Castello di Buchlovice
- Замок Бухловице

- Ložnice v buchlovickém zámku
- Schlafzimmer im Schloss Buchlovice
- Bedroom in Buchlovice Castle
- Buchlovice, chambre du château
- Castello di Buchlovice, camera da letto
- Спальня замка Бухловице

- Poutní areál na Velehradě
- Wallfahrtsort Velehrad
- Pilgrim grounds at Velehrad
- Velehrad, l'aire de pèlerinage
- Velehrad, area di pellegrinaggio
- Паломнический ареал Велеград

- Klášter Porta Coeli v Tišnově
- Kloster Porta Coeli in Tišnov
- Porta Coeli Monastery in Tišnov
- Tišnov, le couvent Porta Coeli
- Tišnov, monastero Porta Coeli
- Монастырь «Porta Coeli», Тишнов

- Socha Ježíše na Velehradě
- Statue des Christus in Velehrad
- Statue of Jesus at Velehrad
- Velehrad, la statue du Christ
- Velehrad, statua di Gesù
- Скульптура Иисуса, Велеград

- Žďár nad Sázavou, kostel sv. Jana Nepomuckého na Zelené hoře, památka UNESCO
- Žďár nad Sázavou, Kirche des hl. Johannes von Nepomuk auf dem Grünen Berg (Zelená hora), ein UNESCO-Denkmal
- Žďár nad Sázavou, St Jan of Nepomuk's Castle on Zelená hora (Green Hill), UNESCO monument
- Žďár nad Sázavou, l'église Saint-Jean Népomucène à Zelená hora classé sous le patronage de l'UNESCO
- Žďár sul Sázava. Chiesa di S. Giovanni Nepomuceno sul Colle Verde, monumento dell'UNESCO
- Ждяр-на-Сазаве, костёл св. Яна Непомуцкого на Зеленой горе, памятник ЮНЕСКО

- Interiér zelenohorského kostela
- Inneres der Grünenberger Kirche
- Interior of Zelená hora Church
- Zelená hora, l'intérieur de l'église
- Interno della chiesa del Colle Verde
- Интерьер костёла, Зелена гора

- Klášterní kostel P. Marie ve Žďáru nad Sázavou
- Kloster in Žďár nad Sázavou – Marienkirche
- Monastery Church of Our Lady in Žďár nad Sázavou
- L'église de la Sainte-Vierge au couvent de Žďár nad Sázavou
- Žďár sul Sázava, chiesa monasteriale di Santa Maria
- Ждяр-на-Сазаве, монастырский костёл Девы Марии

■ Větrný mlýn v Kuželově
■ Windmühle in Kuželov
■ Wind Mill in Kuželov
■ Kuželov, le moulin à vent
■ Kuželov, mulino a vento
■ Кужелов, ветряная мельница

■ Větrný mlýn v Ruprechtově
■ Windmühle in Ruprechtov
■ Wind Mill in Ruprechtov
■ Ruprechtov, le moulin à vent
■ Ruprechtov, mulino a vento
■ Рупрехтов, ветряная мельница

- Zdobený vchod do sklípku
- Verzierungen am Eingang in einem Keller
- Decorated entrance to a cellar
- L'entrée enjolivée d'une cave à vin
- Ingresso decorato ad una cantina da vino
- Украшенный вход в погребок

- Strážnice, vinné sklepy v Petrově
- Strážnice – Weinkeller in Petrov
- Strážnice, wine cellars in Petrov
- Strážnice, les caves à vin de Petrov
- Strážnice, cantine da vino a Petrov
- Стражнице, винные погребки в Петрове

■ Jurkovičův dům v Luhačovicích
■ Jurkovič-Haus in Luhačovice
■ Jurkovič's House in Luhačovice
■ La maison Jurkovič de Luhačovice
■ Luhačovice, Casa di Jurkovič
■ Лугачовице, Дом Юрковича

■ Z lázeňského areálu v Luhačovicích
■ Kureinrichtungen in Luhačovice
■ Spa premises in Luhačovice
■ Luhačovice, la ville d'eaux
■ Area termale di Luhačovice
■ Лугачовице, курортная зона

- Jedním z nejkrásnějších hradů je Pernštejn
- Eine der schönsten Burgen ist Pernštejn
- Pernštejn, one of the most beautiful castles
- Pernštejn est un des plus beaux châteaux
- Pernštejn, uno dei castelli più belli
- Пернштейн — один из красивейших замков

139

SEVERNÍ MORAVA
· NORDMÄHREN
· NORTHERN MORAVIA
· LA MORAVIE DU NORD
· LA MORAVIA DEL NORD
· СЕВЕРНАЯ МОРАВИЯ

‹

■ Severní Morava – Lázně Jeseník
■ Nordmähren – Kurort Lázně Jeseník (Gräfenberg)
■ Northern Moravia – Jeseník Spa
■ Moravie du Nord – La ville d'eaux de Jeseník
■ La Moravia Settentrionale – La città termale di Jeseník
■ Северная Моравия – Курорт Есеник

- Skanzen lidové architektury v Rožnově pod Radhoštěm pořádá během roku spoustu akcí, které přitahují návštěvníky
- Das Freilichtmuseum der Volksarchitektur in Rožnov pod Radhoštěm organisiert viele Veranstaltungen, die die Besucher herbeilocken
- The open-air museum of folk architecture in Rožnov pod Radhoštěm holds a number of events that attract visitors
- Le musée d'architecture populaire en plein air à Rožnov pod Radhoštěm attire les visiteurs
- Il Museo all'aperto di Rožnov pod Radhoštěm organizza tutto l'anno numerose manifestazioni culturali che attirano i visitatori
- Музей деревенской жизни и архитектуры в Рожнове под Радгоштем устраивает в течение года различные мероприятия, привлекающие посетителей

■ Svatý Kopeček u Olomouce
■ Svatý Kopeček (Der heilige Hügel) bei Olmütz (Olomouc)
■ Svatý Kopeček (Holy Hill) near Olomouc
■ Svatý Kopeček près d'Olomouc
■ Colle Santo presso Olomouc
■ Святы Копечек близ г. Оломоуц

‹ ■ Olomoucký mariánský sloup, památka UNESCO
■ Olmützer Mariensäule, ein UNESCO-Denkmal
■ Column dedicated to the Virgin Mary in Olomouc, UNESCO monument
■ Olomouc, la colonne mariale monument sous le patronage de l'UNESCO
■ Olomouc, colonna mariana, monumento dell'UNESCO
■ Оломоуц, Мариинская колонна, памятник ЮНЕСКО

145

- Sousoší Cyrila a Metoděje na Radhošti
- Statuengruppe der hl. Cyrill und Method in Radhošť
- Sculptural Group of Cyril and Methodius in Radhošť
- Les statues de Cyril et Méthode à Radhošť
- Gruppo di sculture dei SS. Cirillo e Metodio sul monte Radhošť
- Памятник Кириллу и Мефодию на горе Радгошть

- Beskydy, Nořičí
- Beskiden, Nořičí
- Beskydy Mountains, Nořičí
- Les Beskides, Nořičí
- Beskydy, Nořičí
- Бескиды, Норжичи

- Architektura D. Jurkoviče na Pustevnách
- Bauwerke von D. Jurkovič in Pustevny
- Architecture by D. Jurkovič at Pustevny
- L'architecture de D. Jurkovič à Pustevny
- Pustevny, architettura di D. Jurkovič
- Пустевны, архитектура Д. Юрковича

- Celkový pohled na Pustevny
- Gesamtansicht von Pustevny
- Panorama view of Pustevny
- Pustevny, vue générale
- Veduta panoramica di Pustevny
- Пустевны, обший вид

- Papírna ve Velkých Losinách
- Papierfabrik in Velké Losiny
- Paper Mill in Velké Losiny
- Velké Losiny, fabrique de papier à la main
- Velké Losiny, manufattura di carta
- Велке Лосины, бумажная фабрика

- Renesanční zámek ve Velkých Losinách
- Renaissanceschloss in Velké Losiny
- Renaissance Château in Velké Losiny
- Velké Losiny, le château Renaissance
- Castello rinascimentale di Velké Losiny
- Велке Лосины, ренессансный замок

- Bývalý křižácký hrad v Bouzově
- Ehemalige Kreuzritterburg in Bouzov
- Former crusade castle in Bouzov
- Bouzov, l'ancien château fort des Chevaliers de la Croix
- Ex castello dei crociati di Bouzov
- Бывший замок крестоносцев, Боузов

- Rytířský sál bouzovského hradu
- Rittersaal der Burg Bouzov
- Knights' Hall in Bouzov Castle
- Bouzov, la Salle des chevaliers
- Castello di Bouzov, Sala dei Cavalieri
- Рыцарский зал замка Боузов

149

■ Kašna a kolonáda v Květné zahradě
■ Brunnen und Kolonade in Blumengarten
■ Fountain and colonnade in Květná zahrada (Flower Garden)
■ La fontaine et la colonnade du Jardin floral
■ Fontana e colonnato nel Giardino dei Fiori
■ Водоем и колоннада в Цветочном саду

151

- Slezské muzeum v Opavě
- Schlesisches Museum in Opava (Troppau)
- Silesian open-air museum in Opava
- Opava, le musée de la Silésie
- Opava, Museo slesiano
- Опава, Силезианский музей

- Muzeum v Kopřivnici
- Museum in Kopřivnice
- Museum in Kopřivnice
- Le musée de Kopřivnice
- Kopřivnice, Museo
- Копрживнице, музей

■ Historická těžní věž v Ostravě
■ Historischer Förderturm in Ostrava
■ Historic headstock in Ostrava
■ Ostrava, la tour d'extraction
■ Ostrava, torre storica d'estrazione
■ Исторический надшахтный копер, Острава

155

- Štramberk s věží Trúba
- Štramberk mit dem Turm Trúba
- Štramberk with its Trúba Tower
- Štramberk et la tour Trúba
- Štramberk e la torre chiamata Trúba
- Штрамберк и башня Труба

- Jeskyně Šipka u Štramberka
- Höhle Šipka bei Štramberg
- Šipka cave at Štramberk
- La grotte Šipka près de Štramberk
- Štramberk, grotta Šipka
- Пещера Шипка под Штрамберком

157

■ Dřevěný kostel v Gutech
■ Holzkirche in Guty
■ Wooden church in Guty
■ L'église en bois de Guty
■ Guty, chiesa in legno
■ Гуты, деревянный костёл

■ Krajina u Hodslavic
■ Landschaft bei Hodslavice
■ Landscape around Hodslavice
■ Paysage près de Hodslavice
■ Paesaggio di Hodslavice
■ Окресности Ходславиц

■ Hanácký kroj   ❯
■ Volkstracht der Haná-Region
■ National Folk Costume from Haná
■ Costume folklorique de la région de Haná
■ Costume popolare della regione di Haná
■ Национальный костюм из области Хана

■ Rodný dům F. Palackého v Hodslavicích
■ Geburtshaus František Palackýs in Hodslavice
■ Birthplace of F. Palacký in Hodslavice
■ La maison natale de F. Palacký à Hodslavice
■ Hodslavice, casa natale di F. Palacký
■ Ходславице, родной дом историка Ф. Палацкого

159

ČESKÁ REPUBLIKA

TSCHECHISCHE REPUBLIK / THE CZECH REPUBLIC

LA RÉPUBLIQUE TCHÈQUE / LA REPUBBLICA CECA

ЧЕШСКАЯ РЕСПУБЛИКА

Fotografie © Petr Hron, Martin Hurin, Jiří Kopřiva, Zdeněk Král,
Zdeněk Prchlík, Luboš Stiburek, Herbert Thiel, Zdeněk Thoma
Úvodní text: Josef Šmatlák
Překlady: Zdeněk Opava (němčina), Dana Vacková (angličtina),
Jiří Esser (francouzština), Lea Šupová (italština),
Luisa Averina (ruština)
Popisky a uspořádání © Marcela Nováková
Obálka a grafická úprava © Karel Kárász
Vydalo Nakladatelství Olympia, a. s.,
Klimentská 1, 110 15 Praha 1 v roce 2002
jako svou 3202. publikaci
1. vydání, 160 stran
Odpovědná redaktorka: Marcela Nováková
Litografie: TIGRIS, spol. s r. o., Zlín
Vytiskla tiskárna: GRASPO CZ, a. s., Zlín

27–011–2002
ISBN 80–7033–733–8